Мастера живописи

Гоген

БЕЛЫЙ ГОРОД

МОСКВА, 2000

Текст: Джованна Николетти
Оформление: Джованни Брески

На обложке:
«Дух умерших бодрствует», (1892, холст, масло),
Буффало, Художественная галерея Олбрайт-Нокс

Содержание

Океан
как судьба

Мало кто из людей искусства так полно, как Гоген, воплотил в себе миф о проклятье художника. Он стал прототипом гения, который безрассудно принес в жертву собственной мечте, не только благополучие, но саму жизнь. Гоген сделал выбор, необычный для человека того времени, предпочтя благоразумию какой-то внезапный порыв. Множество автопортретов, выполненных художником, свидетельствуют о чрезвычайной противоречивости его личности. Образцовый муж и преуспевающий делец смотрит с фотографии 1885 года, где Гоген запечатлен со своей женой Метте Гад. Не возникает никаких сомнений относительно его блестящего будущего. И вдруг все резко меняется. Автопортреты художника очень точно передают его душевное состояние, он словно выплескивает свою душу на полотно. Особенно это касается периода между 1888 и 1889 годами, когда Гоген пишет их почти с одержимос-

С женой. В Париже
Слева: фотография Поля Гогена с женой Метте, (Копенгаген, 1885.)
Справа: фотография Поля Гогена, сделанная в Париже художником Буте де Манвелем, (1891).

тью, во всяком случае, девять из пятнадцати существующих автопортретов были сделаны именно в этот период.

Поль Гоген родился 7 июня 1848 года в Париже на улице Нотр-Дам де Лоретт. Отец Поля, Кловис Гоген, работал в газете «Le Nationale». Мать, Алина Шазаль, была дочерью гравера Андре Шазаля и перуанской писательницы Флоры Тристан. Отец Гогена, будучи республиканцем, возненавидел режим, установленный Луи Наполеоном; в 1849 году он принял решение покинуть Францию и отправился с семьей в Перу. Таким образом, с самого раннего детства — Полю было около года от роду — началось его вечное странствие, своего рода инициация морем. Это станет впоследствии его судьбой, его призванием на всю жизнь. Во время пересадки в Магеллановом проливе, Кловис Гоген внезапно скончался от разрыва сердца. Его жена, оставшаяся на борту парохода с двумя детьми, была вынуждена продолжить путешествие в Лиму самостоятельно. Там, под опекой семьи Тристана де Москосо, прошло детство Поля Гогена. Запахи этой земли, индейские лица, цвет еще не зараженной ничем природы мальчик не может забыть даже тогда, когда, благодаря небольшому наследству, оставшемуся от деда по отцовс-

ПАМЯТИ МАТЕРИ
«Портрет матери» (Алина-Мари Шазаль Гоген) (1890, Штутгарт, Государственная галерея). Этот небольшой портрет матери, который Гоген написал через много лет после ее смерти, передает всю тонкость и изящество, почти детскость ее лица. Алина была дочерью гравера Андре Шазаля и перуанской писательницы Флоры Тристан. Она вела активную политическую жизнь, тратила деньги на поездку семьи через всю Европу, на развитие рабочего кооперативного движения и теорию социализма. После нескольких лет сомнительного брака Флора развелась с мужем. Муж не хотел давать развода и даже пытался застрелить ее из револьвера. История закончилась тем, что за серьезное ранение, причиненное жене, он был осужден на 20 лет каторжных работ. Справа — два из четырех портретов сына Эмиля, выполненных художником в 1875 и 1876 годах. Сохранились в Музее Искусств Кливленда.

кой линии, он возвращается во Францию (Орлеан) и поступает учиться в семинарию. Застенчивость и замкнутость затрудняют Гогену общение с друзьями, усугубляя ощущение одиночества и обостряя его чувствительность. «В семинарии, — писал он позднее, — я научился с юного возраста ненавидеть лицемерие, показную добродетель, доносы и не доверять всему тому, что противоречило моим инстинктам, сердцу и разуму». На экзаменах в мореходное училище Поль провалился и был зачислен матросом на торговое судно «Лузитано», отправлявшееся в Рио-де-Жанейро. Во время плавания, которое в целом оказалось довольно успешным, Поль Гоген получил известие о кончине матери, к которой всегда был очень привязан. В 1890 году он сделал с дагерротипа ее портрет, как полное нежности воспоминание: женщина с аристократическими и в то же время чуть детскими чертами лица. По окончании франко-прусской войны, в течение которой Гоген служил матросом третьего класса на корвете «Жером-Наполеон», он случайно оказался в Сен-Клу, в доме своей матери. Дом был полностью разрушен прусскими бомбами. Сестра Поля, Марселина-Мари, находилась на попечении Гюстава Арозы, которому мать перед смертью поручила своих детей. Не имея ни работы, ни дома, Гоген приезжает в Париж

ДЕТСКИЕ СНЫ
«La petite reve» (Сон ребенка). (1881, Копенгаген, Картинная галерея). В порыве нежности к дочери Гоген пишет ее портрет. Алина родилась 24 декабря 1877 года. Короткие волосы на голове ребенка давали повод предполагать, что это портрет первенца, Эмиля. Однако известно, что в 1881 году он уехал с матерью в Копенгаген. На стене Гоген изобразил ноты, что говорит о раннем интересе художника к символам и знакам. Именно в этой картине художник впервые изобразил элементы декора: попугая и еще каких-то птиц. (Как будто девочке снится, что они поют для нее песни). Кровать из фигурного литья, по форме напоминающая лодку, и украшения на стене, безусловно, свидетельствуют о внимательном отношении живописца к современному декоративно-прикладному искусству. Интерес к художественным ремеслам Гоген испытывал до конца своих дней.

и, благодаря рекомендациям опекуна, находит убежище в пансионе жены скульптора Обе. Гюстав Ароза, имеющий весьма высокое положение в обществе, устраивает Поля в контору биржевого маклера Бертена. Ароза занимался фотографией, был страстным любителем живописи и обладал небольшой, но изысканной коллекцией картин современных художников: Делакруа, Домье, Курбе, Коро, Йонкинда и Писсарро. Коллекция привлекает внимание Поля, который давно ощущает в себе интерес к живописи. В начале семидесятых годов в свободное от работы время он приезжает в Сен-Клу, где вместе с дочерью Ароза Маргаритой, начинающей художницей, работает кистью, заставляя позировать сестру Мари. Однако мысль о том, чтобы стать «художником по воскресеньям», совсем не согревает его; Гоген решает серьезно заняться живописью и поступает в Академию Коларосси к Писсарро, которого хорошо знал. Кроме того, Ароза покровительствовал Писсарро. Тогда же, в пансионе мадам Обе, он знакомится с молодой датчанкой Метте-Софией Гад, дочерью окружного судьи. Она приехала в Париж в качестве гувернантки детей премьер-министра Дании. В одном из писем к их общей знакомой, госпоже Хеегорд, Гоген сообщает, что попросил руки молодой Метте и полагает, что выбор очень

Школа
импрессионизма
Слева:
«Швея, этюд
обнаженного тела»
(Сусанна)
(1880, Копенгаген,
Глиптотека
Карлсберга).
Картина, для которой
позировала
служанка Гогена,
экспонировалась
вместе с другими
на шестой выставке
импрессионистов
в 1881 году.
Своей пластикой
и реализмом этюд
обнаженного тела
привлек внимание
писателя и критика
Гюисманса, который
хорошо отозвался
об этой работе
и упомянул ее в ряду
лучших обнаженных
натур в истории
искусства.
Справа:
«Коровы на болоте»
(1885, Милан,
Галерея
современного
искусства).
Еще один пейзаж,
навеянный тематикой
и техникой
Писсарро. Пейзаж
был показан
на восьмой
и последней выставке
импрессионистов
на улице Лаффитт, 1
(15 мая — 15 июня
1886 года). Гоген
послал на выставку
девятнадцать
полотен.

удачен. Это было в 1873 году. Свадьбу отпраздновали осенью того же года. Рождение первого сына, Эмиля, наполняет отца необыкновенной гордостью, он говорит про сына: «белый, как лебедь, и сильный, как Геркулес». После Эмиля родились еще четверо детей. Ранний период их жизни был безоблачным, благодаря большим заработкам отца, в ту пору буржуа и преуспевающего биржевого маклера. Однако впоследствии большая часть заработанных денег пошла на приобретение полотен любимых Гогеном художников, таких как Мане, Ренуар, Сезанн, Сислей, Писсарро, Гийомен. Коллекция стоила тогда более 15 000 франков, а через несколько лет картины были распроданы по одной, чтобы поддержать совершенно обедневшую семью. Изучив манеру живописи Писсарро, всегда готового оказать помощь молодым художникам, Гоген и сам начал создавать интересные работы. Затем он знакомится с Гийоменом и Сезанном. Сезанн произвел на начинающего художника глубокое впечатление. Знакомство с Писсарро и Дега дает Гогену возможность участвовать в пятой выставке независимых художников, состоявшейся в апреле 1880 года на улице Пирамид, 10, куда Гоген посылает один натюрморт, несколько пейзажей, большинство которых было написано им в Понтуазе у Писсарро, и один мраморный бюст. Хотя отношения между импрессионистами испортились из-за разногласий по поводу новых художников, в 1881

Сцены из жизни Бретани

«Бретонская пастушка»
(1886, Ньюкасл, Художественная галерея).
При первом посещении Бретани Гоген столкнулся с примитивной жизнью крестьян, для которых время словно остановилось. Обычаи, костюмы, традиции, несмотря на научно-технический прогресс, казалось, не претерпели никаких изменений. Пастушка спокойно расположилась на траве, видно, что спешить ей некуда. Художник, изобразивший ее в реалистической манере, тем не менее сохраняет дистанцию. И не только в прямом , но и в переносном смысле: будни этих людей так далеки от культурной жизни Парижа.

году организуется их шестая выставка, и Гоген показывает там восемь картин и две скульптуры. Среди полотен был один этюд обнаженного тела, известный под именем «Сусанна», написанный Гогеном с его служанки.

Летние каникулы художник проводит в Понтуазе вместе с Писсарро и Сезанном. Возвращение в Париж, нудная работа, семейная жизнь представляются ему столь невыносимыми, что он не может скрыть зависти к отшельничеству своего учителя, уединившегося вдали от столицы. Парадоксально, но экономический кризис, охвативший Францию, способствует осуществлению желаний Гогена: он и его друг Шуффенекер порывают с биржей Бертена. Гоген переселяется в Руан, где, как ему кажется, жизнь много дешевле. Он рассчитывает также заработать продажей нескольких своих картин богатым провинциалам. Семья, привыкшая жить в комфорте, не может приспособиться к новому финансовому положению. Семейные отношения резко обостряются; вскоре и сам художник стал проявлять нетерпимость к узости провинциального мышления маленького городка. Метте не устраивает жизнь вне парижского общества, но больше всего она страдает из-за изменения статуса мужа: из преуспевающего дельца он превратился в неудачника-художника с весьма неопределенным будущим. Писсарро, занимающийся живописью более тридцати лет, все еще пребывает в нужде, что конечно же, не при-

Игры детей
«Купание у мельницы в Буа д'Амур» (1886). Картина изображает мельницу Давида, недалеко от Понт-Авена, (юг Бретани). Бродя по окрестностям деревень Бретани, Гоген обнаружил множество живописных местечек, которые просто просились на холст. Тема игр и забав детей на натуре дала художнику возможность поработать с цветом, о котором велись бесконечные разговоры в пансионе Глоанек. Другой пример пейзажа дан в картине (внизу) «Бретонец, надевающий сабо» (1888, Копенгаген, Глиптотека Карлсберга).

бавляет Метте оптимизма. Она сдается первой, и, забрав троих из пяти детей, направляется в Данию, надеясь там получить поддержку со стороны своего семейства. Метте уверена, что с ее отъездом Поль образумится и займется делом. Через некоторое время Гоген решает тоже обосноваться в Копенгагене, но и там чувствует себя неуютно. И вдруг засветила надежда: Общество друзей искусства предлагает Гогену устроить небольшую выставку его произведений. Однако она была встречена с полным безразличием и единодушным молчанием. Сплотившись вокруг Метте, члены семейства Гад держались с Гогеном отчужденно. Приход в дом представителей полиции нравственности утвердил их в решении порвать с Гогеном. Положение становится невыносимым, члены клана Гад не скрывают своей ненависти к художнику. Гоген жалуется Писсарро, что не хватает денег даже на краски и холсты, но его больше мучают вопросы искусства, чем денежные проблемы. В конце концов, взяв с собой сына Кловиса, он решает вернуться в Париж и остановиться у своего приятеля и бывшего коллеги Шуффенекера. Зима 1885 года оказалась особенно трагической в жизни художника. Нужда становилась все более беспросветной. Кловис серьезно заболел, у него была ветрянка. Чтобы заработать несколь-

ко сантимов, Гоген нанялся расклеивать по ночам афиши близ Северного вокзала. В письмах к жене тон Гогена становился временами очень жестким. Так, в апреле 1886 года он упрекает ее в том, что она больше мать, чем жена. «В один прекрасный день положение мое улучшится, я найду женщину, которая в отношениях со мной будет отнюдь не матерью». В другом письме он просит приехать ее в Париж, так как не в состоянии содержать себя.

Несмотря на свое плачевное положение, Гоген принимает участие в последней (восьмой) выставке импрессионистов 1886 года, куда посылает девятнадцать картин, положительно отмеченных впоследствии известным критиком Феликсом Фенеоном. Отношения внутри группы импрессионистов накалились, Гоген внес в этот разлад свою лепту — он испытывал неприязнь к Сера и Синьяку и назвал их «юнцами-химиками, которые копят точечки». Не желая жить в скандальной атмосфере, Гоген удаляется из Парижа, мечтая найти место, не тронутое раздорами и ревностью.

По совету художника Дюваля, Гоген едет в Понт-Авен, где всего за шестьдесят франков в месяц снимает мансарду в пансионе мадам Глоанек. От всего облика Гогена исходило ощущение силы.

Загорелая оливковая кожа, темные волосы, слегка спадающие на плечи, синий свитер, как у бретонских рыбаков, и заломленный на ухо берет восхищали молодых художников. Его живопись они считали новаторской и исключительно смелой. Двое из них — Эмиль Бернар и Шарль Лаваль — были друзьями. (У Гогена есть портрет Лаваля, рассматривающего в лорнет разложенные на столе фрукты). Художники много спорили о применении цвета и поклонялись Дега и Писсарро. Из реалистических работ только две касаются того периода: меланхолическая по содержанию «Бретонская пастушка» (см. стр. 9) и картина «Купание у мельницы в Буа д' Амур» (см. стр. 10), выполненная в теплых тонах.

Тем временем в Париже во всю развиваются новые художественные тенденции. Художественная интеллигенция, потеряв интерес к изображению в своих трудах реальной жизни, обращается к символизму, в первую очередь это касается литературы и поэзии. Зарождается авангардизм. Гоген возвращается в Париж осенью, сразу же серьезно заболевает и надолго попадает в больницу. Там он предается самым мрачным мыслям. В письме к жене он с раздражением говорит, что в его сердце скопилось много горечи из-за отсутствия денег и верного куска хлеба. Зато эти суровые, серые дни были озарены новой дружбой: он познакомился с Винсентом Ван Гогом. Его горячий, пассионарный темперамент заражал Гогена, они много спорили о цветовом решении картины, о поисках новых изобразительных средств. Сдержанные, чтобы не сказать холодные, манеры зрелого художника контрастировали с горячностью молодого Ван Гога. Большую роль в этой дружбе, безусловно, сыграл Тео, брат Винсента, который был управляющим престижной художественной галереи Буссо и Валадона. Тео взял на себя миссию заинтересовать владельцев галереи современной живописью. Гоген, постоянно искавший случая расширить круг друзей в художественной среде с целью продать свои произведения, оценил внимание к нему Тео. Тем более, что нетерпимость и тяжелый характер Гогена способствовали лишь росту числа недругов. Он окончательно рассорился с Сера, обвинив его в чисто научном подходе к живописи, испортил отношения со старым другом и учителем Писсарро, поскольку тот увлекся пуантилизмом, и предпочитал теперь компанию Дега, которого часто встречал с Ван Гогом в кафе «Новые Афины».

Весной 1887 года Гоген, недовольный полученными результатами, «уродливой» обстановкой в Париже и собственным бытом,

Краски Мартиники
«Тропическая растительность» (1887, Эдинбург, Национальная галерея Шотландии) Этот вид на бухту Сен-Пьер за колористическое решение и световые рефлексы признан шедевром. Гоген написал его во время недолгого пребывания на Мартинике. Идиллический пейзаж, показанный художником, в действительности изобилует буйной листвой, из-за чего место кажется девственным, не испорченным присутствием человека. Гоген не переставал восхищаться обильной растительностью тропиков.

уезжает вместе с Лавалем на Мартинику, чтобы найти там новые художественные впечатления и стимулы, способные влить свежую струю в его искусство.

По началу Гогену пришлось устроиться землекопом на строительство Панамского канала. Но, как только они с Лавалем скопили небольшую сумму, тут же отправились на Мартинику, в Сен-Пьер. Пышная природа, мягкий климат, облик туземцев будоражат фантазию художника, и он пишет жене, что надеется когда-нибудь уви-

**Бедность
и воображение**
«Мартиникский
пейзаж»
(1887, Лугано,
Собрание Тиссена-
Борнемисы).
Кишечная инфекция,
полученная
на строительстве
Панамского
канала,
и страшная нужда
вынудили Гогена
поспешить
на Мартинику.
На следующей
странице:
«Натюрморт
со щенятами»
(1888, Нью-Йорк,
Музей
современного
искусства).
Очень может быть,
что этот натюрморт
написан под
влиянием японского
графика Ясуо
Кунияши. Полотно,
созданное
в Бретани,
представляет собой
высшее достижение
синтетизма, то есть
художественной
техники, которую
разработали вместе
Гоген и Бернар.
Фигуры трех щенков
на столе написаны
без теней
и перспективы,
с сознательным
нарушением
пропорций, что
предвосхищает
творения Боннара
и Матисса, а также
кубистов.

деть ее здесь с детьми. Больше всего его восхищает местное население. Темнокожие туземки, закутанные в разноцветные тряпки, двигались плавно и небрежно. Гогену казалось, что здесь «рай креольских богов», как он писал Шуффенекеру. Он убежден в том, что пейзажи, яркие цвета, свет тропического неба, вибрация воздуха, красочные индейские фигуры вызовут большой интерес в Париже. Тем не менее, иллюзиям художника не дано было осуществиться: старые друзья оторопели от света и избыточно яркого колорита его картин. И только Ван Гог оценил красоту и поэтичность его пейзажей. Но все это будет потом, а пока, неимоверно страдая от заболевания печени, Гоген нанимается матросом на парусник и прибывает во Францию. У него по-прежнему нет средств к существованию, но он полон стремления следовать своему призванию.

В Париже он снова обласкан щедростью и гостеприимством верного друга Шуффенекера. Финансовую поддержку оказал Тео Ван Гог, приобретя несколько полотен и керамику. Но беды не оставляют Гогена, сказываются последствия перенесенного заболевания; холодный воздух ноябрьского Парижа вредит его слабому здоровью. Гоген вновь едет в Понт-Авен и поселяется в пансионе Глоанек, который он покинул всего несколько месяцев назад. Де-

Портрет семьи
«Семья Шуффенекера» (1889, Париж, Музей д'Орсе). Самым интересным в этой картине является треугольник, в который вписана фигура мадам Шуффенекер с детьми. На ней черная шаль, контрастирующая с красной одеждой детей.
Внизу:
Поль Серюзье. «Талисман» (1888, Париж, Музей д'Орсе)
Поль Серюзье по возвращении в Париж из Понт-Авене осенью 1888 года показал друзьям из Академии Жюлианы маленькую доску, написанную под руководством Гогена. Молодые художники были поражены, их привел в восхищение совершенно новаторский язык живописи (который идентифицировался потом с творчеством группы художников «наби»).

нег не хватает даже на то, чтобы покупать кисти и холсты, тем не менее, мысли художника больше заняты поисками новых решений в живописи. В одном из писем Гоген советует Шуффенекеру: «Не пишите слишком с натуры. Искусство — это абстракция, извлекайте ее из натуры, мечтая подле нее, и думайте больше о том творении, которое возникает». Это были совершенно новаторские, бесспорно оригинальные идеи.

Разговоры и споры об искусстве, ведущиеся в столовой пансиона, притягивают и восхищают молодых художников. Концепция синтеза и симплификации элементов объекта нашла свое отражение в «Танце бретонских крестьянок», первом полотне Гогена, где он применил новые приемы в организации реалистической формы. Но более четко поиски новых подходов просматриваются в картине «Видение после проповеди, или борьба Иакова с ангелом» (см. стр. 48), также бретонского периода. Гоген хотел украсить этим полотном стены какой-нибудь из бретонских церквей. Вместе с Гогеном картину взялись отнести в старую церковь Низона Лаваль и Бернар. Однако священника смутили яркие краски и смелость композиции, и он отказался от дара. Гогену пришлось унести назад свое произведение. Несколькими месяцами позже

он послал этот холст Тео с тем, чтобы тот нашел покупателя. В Париже друзья одобрили картину, они высоко ценят Гогена, навещают его в Бретани, занимаются живописью и много дискутируют. Кроме Шуффенекера, Лаваля и Бернара, приезжают и совсем молодые художники. Среди прочих — богатый голландец Якоб Мейер Хаан, протежируемый Писсарро, а также Анри Море и Анри де Шамайяр. К концу бретонских каникул Гогена к компании присоединяется молодой живописец Поль Серюзье, студент Академии Жюлиана. Серюзье застает Гогена в плохом состоянии (болезнь, полученная на Мартинике, продолжает терзать его). Встреча была короткой, но плодотворной; Гоген нашел время дать Серюзье урок живописи в Буа д'Амур (лес вблизи Понт-Авена): «Какими ты видишь эти деревья? Желтыми? Так пиши его самым красивым желтым, какой у тебя есть. А эта тень? Скорее синяя? Так не бойся сделать ее как можно более синей. Листья красные? Значит, надо дать самый алый». Особенно настаивал Гоген на упрощении формы и пропорций, на построении композиции и на сочетании цвета. Потом небольшой холст Серюзье «Талисман», написанный под руководством Гогена, для художников группы «наби» станет культовым.

Трагическая дружба

Xотя Ван Гог уединился в провинции, он, благодаря переписке с братом и друзьями, был в курсе споров и новых экспериментов, проводившихся в Париже и в Бретани. Винсент мечтал собрать художников в Арле и создать «южную мастерскую», школу и пансион для тех, кто увлечен искусством. Ван Гог сперва думал сам поехать к Гогену в Понт-Авен, но затем отказался от этой идеи и начал лелеять мысль о том, чтобы убедить Поля и других художников перебраться в Арль. Ван Гог, подобно японским коллегам, задумал обменяться автопортретами. Создавая свой портрет, посвященный другу, Гоген вдохновлялся образом Жана Вольжана из романа «Отверженные», человека, отвергнутого обществом, но обладающего добрым сердцем и сильным духом. Автопортрет про-

Лицом к Востоку
Слева:
Хиросиге «Вид из храма Канда на восход солнца» (1857).
Справа:
Поль Гоген «Голубые деревья» (1888, Копенгаген, Картинная галерея). Картина, безусловно, построена на контрастах цвета и на ритмичности вертикальных (стволы деревьев) и горизонтальных (горизонт, видимый вдали) линий. После этой картины критик Октав Мо, основатель еженедельника «L' Art moderne», назвал Гогена «рафинированным колористом».

извел на Ван Гога странное впечатление: «пленник, без тени радости». Гоген использовал резко очерченный контур и яркие краски, достаточно далекие от натуральных, напоминающие то ли витражи готических храмов, то ли японскую живопись.

Ван Гогу, много экспериментирующего с техникой, хотелось найти мастера, которого бы он почитал как учителя. Случай представился, когда Тео Ван Гог, совершив удачную сделку, обеспечил Гогену регулярный контракт. У Гогена не осталось больше поводов отказываться от поездки в Арль. Поль Гоген под натиском бурной деятельности, развернутой Винсентом, который сделал все для удобства друга, приезжает в Арль.

Это случилось 22 октября 1988 года. Ван Гог к этому времени благоустроил свой маленький желтый домик, купил мебель, обставил комнаты. Он находился в крайнем возбуждении. В течение первых дней их сосуществования все шло хорошо, но мало-помалу Поль начал проявлять признаки раздражительности. Гоген не видел на юге Франции ничего похожего на экзотику тропиков и пришел к мысли, что Арль много более тосклив, чем Южная Америка. К счастью, обоих художников объединяла страсть к живописи, оба

работали без устали. Они горячо спорили, но чувство «жуткого почтения» Ван Гога к Гогену не убывало. Он высоко оценил гогеновский портрет мадам Жину в костюме арлезианки; рисунок был выполнен угольным карандашом, и впоследсвии использован в картине «Кафе в Арле» (см. стр. 46).

Только долг перед Тео мешал Гогену покинуть Арль, поскольку совместное проживание двух столь разных личностей делалось все невыносимее. Неустойчивое состояние психики Ван Гога становилось удручающим. Однажды вечером он, напуганный намерением Гогена уехать, тайно преследует друга во время прогулки и внезапно бросается на него с раскрытой бритвой. Об этом случае Гоген вспоминал много лет спустя в книге «Прежде и потом»; весьма вероятно, из-за давности времени воспоминание не полностью соответствует действительности. Тем не менее, ту ночь Гоген провел в гостинице, а Ван Гог, запершись один в доме, в припадке ярости отрезал себе ухо. Потом он вымыл его, завернул в кусок газеты, отнес к Рашели, проститутке из борделя, который посещали оба художника, и попросил ее сохранить ухо как бесценный дар. На следующее утро Гоген, вернувшись домой за личными вещами,

**ПРОСТОТА
И СДЕРЖАННОСТЬ**
«Женщины в саду»
(Старые девы)
(1888, Чикаго,
Художественный
институт).
В этой работе
изображены
женские фигуры,
над которыми Гоген
и Ван Гог работали
одновременно. Гоген
использовал здесь
рисунок для
портрета мадам
Жину, но основное
внимание
сконцентрировал
на традиционных для
женщин юга
Франции черных
шалях,
на классической
красоте и элегантной
простоте женских
образов.

столкнулся в дверях с жандармами, готовыми арестовать его за убийство. Когда ситуация прояснилась, Гоген собрал вещи и уехал; несчастный, едва живой Винсент остался в одиночестве. Вызванный телеграммой Тео пытался привести его в чувство. Выйдя из состояния глубокой прострации, Ван Гог обращается в письме к пропавшему другу: «Мой дорогой друг Гоген, хочу воспользоваться пребыванием в больнице, чтобы написать о моей сердечной к Вам привязанности. Я столько думал о Вас здесь, даже находясь в жару и будучи слабым. Хотелось бы, чтобы и потом когда-нибудь мы воздерживались отзываться плохо о нашем бедном желтом домике».

Гоген возвращается в Париж, он полон энтузиазма и ждет новостей с выставки «Группы двадцати» в Брюсселе, на которую был приглашен не без вмешательства Дега. Новости из Брюсселя не радуют. Тем временем «Талисман», написанный Серюзье в Понт-Авене, приносит Гогену известность у молодых художников, таких как Пьер Боннар, Эдуар Вюйяр, Морис Дени, Феликс Валлоттон. Случай быть узнанным широкой публикой представился в июне 1889 года, когда любитель живописи итальянец Вольпини открыл кафе во Дворце изящных искусств прямо у дверей выставочного павильона Академии художеств и украсил его стены картинами художников Понт-Авена. Дело было так: Шуффенекер обратил внимание на то, что стены большого зала к моменту открытия кафе оставались незанятыми (заказанные Волпини зеркала не были изготовленны вовремя). Шуффенекеру не составило большого труда убедить расстроенного этим Вольпини, что следует затянуть стены красным материалом и развесить на них картины самого Шуффенекера и его друзей. Гоген отнесся к этой идее с воодушевлением — появилась прекрасная возможность довести до логического конца отношения с импрессионистами. Писарро, Сера и Синьяком. Гоген и Шуффенекер отбирают небольшой круг художников, куда вошли Шарль Лаваль, Эмиль Бернар, Луи Анкетен, Даниэль де Монфред, Ван Гог и Руа. Тео отказался предоставить для этой цели картины брата. Он считал недостойным проникать во Дворец искусств с «черного хода». Гоген спешно приехал из Арля в Париж, он и его друзья сами окантовывали свои работы, привезли их в ручной тележке, развесили на стенах и расклеили по городу афиши так, чтобы никто не мог их сорвать. Открытие экспозиции состоялось в конце мая. Очень немногие критики отметили выставку картин «Группы импрессионистов и синтетистов», как окрестил ее Гоген.

Некоторые же критики, преимущественно друзья Бернара, отнеслись к выставке благосклонно. К ним можно отнести Гюстава Кана, Феликса Фенеона, Жюля Антуана и особенно Альбера Орье, который опубликовал целую серию рецензий. Орье практически первым начал серьезно и глубоко изучать живопись Гогена. Двумя годами позже, 15 марта 1891 года, в «Mercure de France» он напечатал статью «Символизм в живописи: Поль Гоген».

В эссе провозглашалось право художника на полную свободу выражать свои идеи и символы, переводя их на субъективный синтетический язык. Утверждение подобной свободы дало современному искусству новый импульс.

Несмотря на безусловный интерес к новаторству выставленных произведений, ни одно из них не было продано, и Гоген, крайне обескураженный эти фактом, возвращается в Бретань. Понт-Авен «полон чужих омерзительных людей»: здесь слишком много дилетантов, постепенно он превратился в объект фольклора для туристов, приезжающих сюда в поисках местного колорита. Вместе с Серюзье и Мейером де Хааном, который тайно финансиро-

**БРЕТОНСКАЯ
МЕЛАНХОЛИЯ**
«Здравствуйте,
господин Гоген»
(1888, Прага,
Народная галерея).
Гоген, подражая,
картине Курбе,
которую очень
хорошо знал,
наполнил свою
работу
символическим
содержанием.
Художника
неотступно
преследовали мысли
о смерти, доводя его
до приступов
депрессии; лишь
всепоглощающая
страсть к живописи
помогала Гогену
справляться с ними.
Художник изобразил
себя в синем
басконском берете
и типичных для
бретонцев
деревянных
башмаках.

вал поездку, Гоген перебирается в Ле Пульдю, маленькую рыбацкую деревушку, расположенную у самой Лайты. Посещая трактир на берегу моря, друзья знакомятся с его хозяйкой, Мари Анри, которая вскоре становится любовницей Мейера де Хаана. Художники щедро разукрасили и расписали столовую, создав одно из самых причудливых декоров конца века. Они покрыли росписью все свободное пространство. Посетители трактира замирали в восхищении.

Цветы и фрукты для мадам Глоанек
«Натюрморт с цветами и фруктами (1888, Орлеан, Музей изящных искусств). Как писал в «Gazette des Beuax-Arts» (1934 год) Морис Дени, Гоген сделал этот натюрморт, живя в Понт-Авене, пансионе мадам Глоанек; он даже хотел подарить его хозяйке в день ее рождения. Но месье Мопассан, отец писателя Ги де Мопассана, человек строгих правил, не одобрил работу, найдя ее безобразной. Тогда Гоген надписал натюрморт сестре Бернара Мадлен, в которую был влюблен (она предпочла сорокалетнему Гогену более молодого Шарля Лаваля). Хорошенькая и нежная семнадцатилетняя девушка была музой художников, приезжающих в пансион.

Бретонский период Гогена, пожалуй, один из самых плодотворных в его творчестве. Здесь написаны абсолютные по символической и эмоциональной насыщенности шедевры, сюжеты для которых Гоген находил в окружающем пейзаже: «Прекрасная Анжела» (см. стр. 50); портрет де Хаана; «Нирвана» (см. стр. 60); полотно «Здравствуйте, господин Гоген», вдохновленное работой Курбе, где присутствует тема смерти, и «Автопортрет с Желтым Христом» (см. стр. 54). Полихромную деревянную скульптуру Христа, выполненную в XVII веке, Гоген видел в церкви Тремало. В то время Гогена сильно привлекали «calvaires», скульптурные изображения Голгофы, которые были очень распространены в Бретани и свидетельствовали о набожности народа. Художник создает два больших деревянных резных панно, пробует свои силы в барельефе. Графиня Нималь, приятельница министра Изящных искусств и поклонница Гогена, обещала приобрести для государства рельефное панно «Будьте таинственны». Но, как и многие другие обещания, оно выполнено не было.

Настроение художника упало окончательно, когда до него дошла весть о самоубийстве Ван Гога, к которому он вплоть до момента покушения был очень привязан. 2 августа 1890 года Гоген пишет Тео: «Мы только что получили печальное известие. В данных об-

ВЕРА И НАИВНОСТЬ
«Зеленый Христос» (Бретонская Голгофа) (1889, Брюссель, Королевский музей изобразительных искусств).
В церквах, на улочках и площадях бретонских дере- вень — повсюду встречаются «Голгофы», скульптуры с фигурой Христа, сделанные из местного камня. Эти скульптуры представляют собой изображение страстей Господних — своеобразный символ веры, выраженный в камне. Гоген не мог не откликнуться на чисто народные, примитивные образы, не лишенные художественных достоинств. Зеленый цвет тела Христа, снятого с креста, наводит на мысль о холоде смерти. Это также цвет позеленевшего от времени камня.

стоятельствах мне не хочется отделываться простыми словами со- болезнования. Знай, он был мне настоящим другом и к тому же на- стоящим художником, вещь по нынешним временам очень ред- кая. Винсент весь в своих произведениях. Как он часто говорил, камень погибнет, слово останется. Что касается меня, то и глазами, и сердцем я вижу Винсента в его трудах».

Относясь к Бретани с большой любовью («когда стук моих сабо гулко отдается в этой гранитной почве, я слышу глухой и мощный

Повторяющееся изображение
«Натюрморт с персиками, грушей и керамикой» (1890). В 1889-1890 годах Гоген часто обращается к натюрмортам, где, как и на этом полотне, присутствует керамика собственного изготовления. Здесь художник поместил терракотовую голову (возможно, автопортрет), которая уже фигурировала в другой работе, а именно в «Натюрморте с японским эстампом» (1889 год). Интерес Гогена к скульптуре и керамике не угасал в течение всей его творческой жизни.

звук, который ищу в живописи»), Гоген больше не испытывал прежних эмоций. Провал выставки в кафе Вольпини давал себя знать. Финансовое положение стало удручающим. Неоценимую помощь оказывал де Хаан, благодаря которому он имел возможность работать в большой мастерской, откуда открывался прекрасный вид на море. Трагическая судьба Тео Ван Гога, постигшая его через несколько месяцев после смерти брата, усугубляет отчаянное положение Гогена. Он не только потерял близкого друга, но лишился связей на рынке картин.

Мечта о диких девственных землях все больше занимает художника. Он бредит дальними странами, где простая, без буржуазных условностей жизнь освободит его от проблем. Посоветовавшись с женой Одилона Редона, которая была родом из Мадагаскара, Гоген решает сперва устроиться на Мадагаскаре, затем думает поехать в Тонкин, но ни один из проектов не может осуществиться по причине отсутствия денег, достаточных для поездки. Друзья, с которыми он планировал основать мифическую «мастерскую тропиков», Бернар и де Хаан, встретили враждебное отношение у семей, крепко привязанных бирже. Гоген, прочитав роман «Женитьба Лоти» Пьера Лоти, убедился, что Таити

«Потеря невинности»
(Пробуждение весны)
(1891, Провинстаун
(Массачусетс),
Художественный
музей Крайслера).
Картина,
выполненная зимой
1891 года, имеет
весьма внушительные
размеры. Художник
написал ее крупными
мазками, используя
яркие контрастные
краски; такая техника
была свойственна
интеллектуальным
парижским
символистам. Фигура
молодой натурщицы
(Жюльетты Юэ)
помещена в пейзаж,
созданный
исключительно
горизонтальными
линиями.
Обнаженное тело
Гоген изобразил
со сведенными
ногами, как у Христа
на кресте, вызывая
ассоциацию
с жертвой.
Лисица (символ
похоти) гордо держит
свою лапу на груди
у девушки. Это
очевидная
перекличка с черным
котом в «Олимпии»
Мане. Гоген
в то время как раз
копировал ее.
Цветок в руке
натурщицы,
написанный
на первом плане —
эмблема утраченной
невинности — венчает
собой символику
картины.

является его мечтой, его потерянным раем, каковой ему предстоит обрести. Приехав в Париж (как всегда, под гостеприимное крыло Шуффенекера), Гоген знакомится с представителями культуры и искусства, часто бывающими в кафе «Вольтер» на площади Одеон. Его друзьями становятся Верлен, Жан Мореас, Шарль Морис, назвавший Гогена «главой художников-символистов», Жан Долан, Морис Барре, Альфред Воллетт, главный редактор «Mercure de France», и очаровательная жена редактора Рашильда. С течением времени щедрый Шуфф начинает тяготиться присутствием в доме Гогена, который распоряжается здесь, как у себя дома, принимает друзей и знакомых, даже не представив их хозяину, и сверх того, имеет большой успех у его жены. Гогену необходимо было срочно искать другое жилье. И он нашел по объявлению студию близ кафе «Вольтер», меблированную лишь железной кроватью. Единственной компанией были гитара и натурщица Жюльетта Юэ, работавшая швеей; с ней художника познакомил Даниэль де Монфред. Очень скоро девушка стала любовницей Гогена и героиней не самой символической картины «Потеря невинности» (Пробуждение весны). Обнаженная натура изображена на фоне гористого пейзажа; в руке у девушки цветок, на плече — лисица, символ порочности.

Уединение

Продажа картин, организованная друзьями (в частности: Малларме, Мирбо, Морисом), состоялась 23 февраля 1891 года в отеле Друо. Когда Гоген собрал сумму, необходимую для столь желанного путешествия, Жюльетта была беременна, но это уже совершенно его не волновало. Выручка составила 9 860 франков. Гоген и не думал о помощи жене и пятерым детям. Через месяц после распродажи, т. е. 23 марта художник устраивает прощальный банкет для сорока пяти друзей; среди них находились лучшие писатели и поэты-символисты, признающие за художником ведущую роль. На следующий день он пишет жене: «Моя дорогая Метте, знаю, насколько тяжелы для тебя эти дни, но зато будущее обеспечено, я был бы счастлив, много более счастлив, если бы ты могла разделить его со мной. А когда мы оба поседеем, и страсть будет уже не

ТАИТЯНСКИЕ МУЗЫ
Слева:
«Таитянка»
(пастель, Нью-Йорк,
Художественный
музей
Метрополитен);
«Женщина с манго»
(1892, Балтимор,
Художественный
музей);
«Идол с жемчугом»
(1892, Париж,
Музей д' Орсе).

ЖЕНСКИЕ РАЗГОВОРЫ
«А, ты ревнуешь?»
(1892, Москва,
Музей
изобразительных
искусств им. А.С.
Пушкина).
Гоген присутствовал
на беседах
индейских девушек
и частично описал
их в «Ноа Ноа»:
«На берегу — две
сестры. Они только
что искупались,
и теперь лежат
в непринужденных
позах, точно
молодые животные
на отдыхе. Девушки
разговаривают
о любви вчерашней
и о той, что придет
завтра. Одно
воспоминание
вызывает раздоры:
«А, ты ревнуешь?».
Синтетическая
техника, в какой
написаны фигуры
и статичные позы
девушек, передает
ощущение полного
покоя. Гоген остался
доволен своим
произведением,
особенно
изображением
девушки на первом
плане. Он сравнивал
ее со скульптурой
Диониса,
репродукция которой
была у него с собой.
Его багаж,
за исключением
личных вещей,
состоял
из громадного
количества
репродукций и книг.

для нас, мы вступим в полосу покоя и духовного счастья, окруженные нашими детьми, нашей плотью от плоти. Вчера в мою честь был устроен ужин, нас было сорок пять художников и писателей под руководством Малларме. Стихи, тосты и самые горячие поздравления. Уверяю, через три года я выиграю битву, и это позволит нам с тобой зажить, не зная лишений. Ты будешь отдыхать, а я работать. И, может быть, когда-нибудь ты поймешь, какого человека дала в отцы своим детям. Я горжусь моим именем и надеюсь — даже уверен — что ты не запятнаешь его, даже встретив блестящего капитана... Прощай, дорогая Метте, прощайте, дорогие дети, не поминайте лихом. Когда я вернусь, мы поженимся снова. А пока — прими обручальный поцелуй». Сколько и какие из этих обещаний он действительно хотел осуществить, нам не дано узнать. 4 апреля 1891 года Гоген отбывает на Таити с культурной миссией от Министерства изящных искусств. Несколько друзей провожают его до Марселя, откуда он уйдет в плавание до Папеэте на шестьдесят три дня. Первое впечатление разочаровало. Жители острова, удивленные длиной его волос, дали ему прозвище «таатаваине», мужчина-женщина. Европеизация города и культура французских колонизаторов, преобладающая после смерти последнего полинезийского короля Помаре V, убеждают художника в том, что нужно найти

MATAMOE

КРАСКИ РАЯ
«Павлины»
(1892, Москва,
Музей
изобразительных
искусств
им. А.С. Пушкина).
С первых дней
своего пребывания
на Таити Гоген
восторгался
красотой пейзажей
и яркостью окраски
цветов, плодов
и живущих
на свободе
животных. Он
сравнивал Таити
с затерянным раем.
Его кисть свободно
скользила по холсту,
передавая
ощущение
удовольствия,
испытанного
художником.
Изображения
казались
фантастическими.
Хижина,
виднеющаяся
на втором плане,
напоминает ту,
в какой осенью
1891 года жил сам
Гоген.
На странице справа:
«Пейзаж с большим
деревом».
(1892).
В путешествии
по островам
Полинезии Гоген
рисовал сцены
из жизни
примитивных общин
во всей их чистоте
и первозданности,
подобно тем, что
изображены на этом
полотне. Никакой
суеты, лишь мирные
беседы женщин.

менее развращенное цивилизацией место. Погрузив свои вещи в тележку, Гоген в сопровождении туземки по имени Тити, хорошо говорившей по-французски, отправляется в Матайеа, где снимает хижину на берегу океана.

Постепенно Гоген начал привыкать к простодушным и услужливым индейцам. Освободившись от Тити, он нашел себе новую подружку, тринадцатилетнюю Техуру, которая, с полного согласия ее семьи, становится «ваине» и натурщицей Гогена. Совместная жизнь с Техурой наполнила художника истинным счастьем, что не раз отражается в картинах раннего таитянского периода: «Manao Tupapao» (Дух умерших бодрствует), «La orana Maria» (Поклонение Марии) (см. стр. 56), где, как в культуре маори, католический мистицизм переплетается с мистическим поклонением животным. Пейзажи насыщены горячими красками полинезийской природы, которые, не смешиваясь, накладываются одна на другую в хроматической последовательности и составляют музыкальный аккорд. Хотя жизнь в хижине протекала спокойно и неторопливо, Гоген страдал от отсутствия новостей из Франции. Одно из первых писем, полученных художником, было от Даниэля де Монфреда. Он

Цвета прощания
«У моря»
(1892, Вашингтон, Национальная художественная галерея).
В 1892 году Гоген писал жене Метте: «За одиннадцать месяцев упорного труда я написал сорок четыре очень значительные картины».
Все эти произведения передают гармонизацию необычайно интенсивных красок: оранжевой и синей, желтой и фиолетовой, зеленой и красной. Это совершенно новаторская техника, граничащая с абстракцией.
На странице справа: «Предки Техаманы» (1893, Чикаго, Художественный институт).
Этот портрет считается прощальным. Гоген простился с женщиной, с которой прожил едва ли не самые счастливые дни своей жизни. Художник написал его за месяц до возвращения во Францию. Похоже, что эта работа для Гогена имела особую ценность.

сообщал, что у Жюльетты Юэ родился ребенок, она лишена средств и больна. Письмо не очень расстроило Гогена; в ответ он написал, что рад, находясь в Полинезии, еще раз стать отцом, в этом нет никакой беды, дети здесь желанны, и родственники всегда готовы их взять. Так или иначе, болезни и полное отсутствие денег вынуждают Гогена в июле 1893 года покинуть Полинезию. Техура и новорожденный ребенок остаются на берегу.

С четырьмя франками в кармане Гоген высаживается в Марселе. Он вновь вынужден обратиться за помощью к друзьям, и вновь де Монфред и Серюзье приходят ему на помощь, достают для него двести пятьдесят франков на дорогу до Парижа. Очень кстати умирает дядюшка Исидоро и оставляет в наследство Гогену девять тысяч, в которых жена не принимает участия, поскольку свою часть она уже получила, продав на выставке 1893 года в Копенгагене несколько картин. Зимой в сотрудничестве с Шарлем Морисом Гоген начинает перерабатывать книгу «Ноа Ноа» о пребывании на Таити и «Тетрадь для Алины», альбом рисунков и рассуждений, посвященный любимой дочери, которую он считает совершенно своей по духу, такой же «дикаркой», как он сам. В эти месяцы художник ведет себя вызывающе (эксцентричная манера одеваться, неизменная компания экзотичной яванской танцовщи-

цы Аннах Мартин), что отдаляет от него старых друзей, которым он предпочитает теперь дружбу с самыми космополитичными художниками, такими как Альфонс Муха, Эдвард Мунк, драматург Август Стриндберг. Они сходятся с молодым и предприимчивым торговцем картин Амбруазом Волларом, с коим Гоген впоследствии подпишет коммерческий контракт, согласно которому он должен будет получать ежемесячную ренту в триста франков против двадцати пяти картин ежегодно. Весной 1894 года, во время пребывания Гогена в Бретани матросы оскорбили его яванскую подругу. Художник ринулся на её защиту и вышел из драки со сломанной ногой. Боль не проходила в течение длительного времени. Воспользовавшись госпитализацией своего друга, Аннах забрала из парижской мастерской художника все, кроме картин, поскольку ценности их она, по-видимому, не осознавала, и исчезла навсегда. Кроме всего прочего, Гогену диагностировали сифилис — результат его беспорядочной жизни и неразборчивых связей. Разорвав всякие отношения с женой, художник снова уезжает. На этот раз он пускается в свое последнее путешествие.

ПАРИЖСКАЯ ПОДРУГА
«Какие новости?» (1892, Дрезден, Художественная галерея).
На странице справа: «Яванка Аннах» (1893).
«Яванка Аннах» Мартин была парижской подругой Гогена с декабря 1893 до осени 1894 года. Художника познакомил с ней Воллар. Она работала у Гогена натурщицей, а затем стала его любовницей.

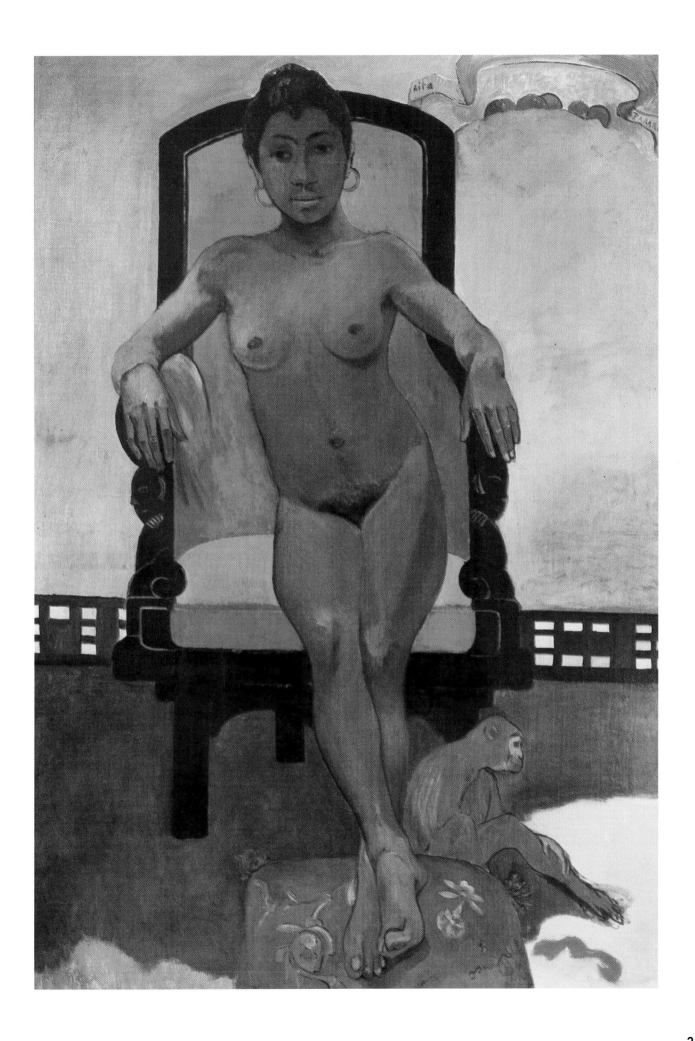

Последнее путешествие

Гоген покидает Францию 3 июля 1895 года на борту австралийского парохода. Он никогда больше не сможет вернуться на родину. Всегда стремившийся к уединению, Гоген все же делает попытку вернуть Техуру, но терпит неудачу. В конце концов, он строит себе хижину из пальмовых листьев и бамбука в Пунаауиа, близ Папеэте. Ослабленный болями в лодыжке, конъюнктивитом, незаживающими язвами на коже, что явилось результатом венерического заболевания, он долгое время проводит в клинике Папеэте в качестве туземца. В довершение всего из «короткого и страшного» письма от жены он узнает о смерти его любимой дочери двадцатилетней Алины, наступившей вследствие воспаления легких.

ГРЕЗЫ ЛЮБВИ

«Никогда»
(1897, Лондон,
Институт Курто).
На странице справа:
«Когда ты выйдешь
замуж?»
(1892).

В ноябре 1897 года Гоген пишет Метте с Таити: «Я только что потерял дочь, я разлюбил Бога. Ее звали Алина, как мою мать. Каждый любит на свой лад: у одних любовь воспламеняется над прахом, у других... не знаю. Ее тамошняя могила, цветы — одна только видимость. Ее могила здесь, возле меня. И мои слезы — живые цветы». Он находится на краю пропасти, близок к самоубийству. Но судьба еще не окончательно с ним расквиталась: вернувшись из больницы, Гоген находит свой дом совершенно опустошенным грызунами и насекомыми. Лишь помощь де Монфреда и Воллара вернула его к живописи и стимулировала написание большой картины «Откуда мы, кто мы, куда мы идем?» Он работает над полотном несколько месяцев, суммируя свой философский взгляд на жизнь. Это духовный завет художника, который превратил живопись в религию. За последние восемь лет, что он провел в Полинезии, жизнь трепала его, бросала из одного глубокого кризиса в другой (он так и не узнал, что после смерти Алины, в 1900 году скончался сын Кловис).

ВЕЧНАЯ ЗАГАДКА
«Откуда мы, кто мы, куда мы идем?» (1897, Бостон, Музей изящных искусств). Сломленный смертью дочери Алины, Гоген в 1897 году находился в состоянии полной прострации и пытался покончить с собой. Монументальное полотно, где разворачивается жизнь человека от рождения до самой смерти, ставит извечный вопрос.

В центре картины изображен мужчина, срывающий плод с дерева жизни. Это аллегория связи между землей и небом; связи естественного и сверхъестественного. Человек тянется вверх, к космическому единению, но в то же время прочно стоит на земле, дающей жизнь.
Критики единодушно считают картину духовным завещанием Гогена.

Трижды Гоген восстанавливал дом, зачал, как минимум, троих детей, написал несколько полемических статей против местной администрации и фальшивой морали католического епископа, лицемерно навязывающего индейцам длинные юбки (в приватной жизни разоблаченного в неблаговидных любовных похождениях). Одновременно он посылал для выставок во Франции свои картины и рисунки. Гоген не прекращал творческой деятельности; написал около ста полотен; сделал бессчетное количество рисунков; не менее четырехсот гравюр по дереву; создал творческое переложение художественных произведений, репродукции с которых всегда были с ним, включая «Олимпию» Мане — индейцы смотрели на копию с большим любопытством, думая, что на ней изображена жена художника. Находясь в антагонистических отношениях с политическими и религиозными властями, в 1901 году Гоген переезжает на маленький островок Хива-Оа (Доминик), еще более удаленный от «цивилизации». Он поселяется в селении Атуана и

VAIRUMATI

занимается устройством и украшением своего нового жилища — последнего художественного произведения прикладного искусства, провокационно названного им «maison du jouir» (дом наслаждений). Он всеми силами защищает искусство индейцев маори от попыток губернаторов и клерикалов уничтожить его. Противостояние властям стоит ему дорого: его приговаривают к трем месяцам тюрьмы и штрафу в тысячу франков. Гоген не выдерживает нового унижения. Утром 8 мая 1903 года протестантский пастор Вернье, навещавший больного, находит его мертвым. Тело художника было еще теплым. Приняв большую дозу морфина, чтобы успокоить терзавшую его боль в сердце, Поль Гоген покончил с физической болью и с самим собой. Ему было всего пятьдесят пять лет.

Епископ Мартин, с которым Гоген полемизировал особенно остро, приказал уничтожить все произведения, находящиеся в «maison de jouir», как богохульные и непристойные, и похоронить художника, несмотря на его убеждения, с соблюдением като-

Богиня счастья
«Ваирумати» (1897, Париж, Музей д' Орсе). В мифологии маори прекрасная Ваирумати — богиня счастья и блаженства. Это один из самых соблазнительных женских образов, созданных Гогеном. На странице справа: «Женщины на берегу моря» (Материнство) (1899, Санкт-Петербург, Эрмитаж).

лических обрядов. Гогена похоронили 9 мая 1903 года в два часа пополудни на маленьком католическом кладбище Атуаны. Простая надгробная надпись гласила: «Поль Гоген. 1903». Возможно, следовало бы добавить то, что он сам незадолго до смерти написал: «Я хорошо работал и хорошо служил всю свою жизнь: умом и сердцем». Хотя все последние годы Гоген жил в полном согласии с обычаями и одеждой индейцев, используя лишь цветной кусок материи, обернутый вокруг бедер, окончательно с Парижем он не порывал. Художник находился в постоянном ожидании новостей и откликов о своих работах, посылаемых во Францию через пассажиров пароходов, коммивояжеров, матросов. Жажда жить простой жизнью, на самом деле, не удовлетворяла его полностью. Убежденный в ценности своего новаторского искусства, Гоген, меняя техники и жанры, продолжал изображать мифы, легенды и типажи самыми яркими красками, какие находил в своей палитре.

Цвет изгнания

«Всадники на пляже» (1902) — одна из последних работ художника. Здесь очень интересна палитра — модуляции от жемчужной до красной и зеленой краски. Ощущение движения усиливается тем, что всадники изображены скачущими в направлении, обратном движению туч.

Конец борьбе

«Автопортрет (в очках)» (1903, Базель, Музей изящных искусств). Небольшой автопортрет, один из очень многих, написанных Гогеном в течение жизни. Собственное изображение художника резко отличается от того, которое в 1888 году он послал Ван Гогу. Контуры здесь не такие четкие, взгляд сквозь пресвитерианские очки выдает усталость. Видно, что Гоген болен, что нет больше сил бороться с враждебным ему обществом. Автопортрет был передан политическому ссыльному Ки Донгу. (Французское правительство сослало его на Маркизские острова за антиправитель-ственную деятельность). Ки Донг был также другом священника, ухаживающего за Гогеном в последние дни его жизни.

Хронология	1840	1850	1860	1865	1870
Гоген	**1848** Вследствие политического переворота в Перу мать возвращается во Францию, в Орлеан. Поль учится в семинарии. **1859** Мать устраивается в Париже. Поль продолжает образование.	**1855** Вследствие политического переворота в Перу мать возвращается во Францию, в Орлеан. Поль учится в семинарии. **1859** Поль продолжает образование в колледже.	**1864** В результате неудачно сданных экзаменов, не смог поступить в морское училище	**1865** Становится помощником лоцмана и совершает кругосветное путешествие в Южную Америку на борту торгового судна «Лузитано». **1867** Умирает мать. Поль возвращается во Францию, служит в торговом флоте.	**1871** По окончании франко-прусской войны живет в Париже, работает в биржевой конторе. **1873** Женится на Метте-Софи Гад, которая родила ему пятерых детей. **1874** Через Г. Арозу знакомится с Писсарро.
Франция	**1844** Александр Дюма (отец) публикует «Три мушкетера». **1848** Провозглашена Вторая Республика. В Париже формируется общество реалистов с Курбе, Домье, Бонвеном.	**1851** Государственный переворот Луи Наполеона: распущен парламент. **1853** Составляется план реконструкции Парижа. **1857** Флобер публикует «Мадам Бовари», Бодлер — «Цветы зла».	**1862** Виктор Гюго издает роман «Отверженные». **1863** Наполеон III учреждает Салон отверженных. Мане пишет «Завтрак на траве» и «Олимпию». Умирает Эжен Делакруа.	**1867** Всемирная выставка в Париже. Умирают Бодлер и Энгр. Мане пишет «Расстрел императора Максимилиана».	**1870** Начало Франко-прусской войны. **1871** Наполеон III разбит в Седане. **1874** Первая выставка импрессионистов в фотостудии Надара в Париже.
Италия	**1842** Алессандро Манцони публикует окончательную версию «Обрученных». **1846** Избирается Папа Пий IX. **1848** В Милане открываются «пять газет». В Венеции провозглашается Республика.	**1851** Первая постановка «Риголетто» Верди. **1855** Во Флоренции образуется группа магических художников. Снаряжается экспедиция на Крымскую войну. **1859** Развязывается II война за независимость.	**1860** Гарибальди полон решимости завоевать южную Италию. **1861** В Турине I Парламент Италии провозглашает королем Виктора Эммануила II.	**1865** Флоренция становится столицей Итальянского королевства. **1866** Идет III война за независимость. Во Флоренции издается первый журнал по культуре «Новая антология». Сильвестро Лега пишет «Визит».	**1870** Итальянские войска входят в Рим через брешь в Порта Пиа. **1871** Рим становится столицей. **1874** Верди сочиняет «Реквием» на смерть Манцони.
Германия	**1840** В Дрездене умирает художник-романтик Каспар Давид Фридрих. **1849** Парламент Франкфурта принимает конституцию Федерального государства.	**1850** Ольмюцкий договор реставрирует Конфедерацию. **1855** В сатирической газете появляются стихи, подписанные воображаемым именем Бидермейер, что дало название целому направлению.	**1861** Вильгельм I, — королем Пруссии, оповещает об объединении германских государств под приматом Пруссии. **1862** Бисмарк назначается канцлером.	**1865** Рихард Вагнер представляет «Тристана и Изольду». **1866** Нарождается Конфедерация Северной Германии под началом Пруссии.	**1871** Фридрих Вильгельм I провозглашен императором Германии (II) Рейх. Бисмарк — канцлер империи. **1874** Археолог Шлиман публикует результаты своих находок в Трое.
Велико-британия	**1843** Основан «The Economist». **1846** Эмилия Бронте публикует «Холмы буйных ветров». **1848** Образовано общество художников-прерафаэлитов. Маркс и Энгельс издают «Манифест Компартии».	**1851** На Всемирной выставке в Лондоне открывается Стеклянный дворец Джозефа Пакстона. **1858** Британская корона правит в Индии.	**1862** На Всемирной выставке в Лондоне экспонируется японская живопись. **1863** Англия вступает в конфликт с Германской конфедерацией из-за Шлезвиг-Гольштейна.	**1865** Льюис Кэрролл публикует «Алису в стране чудес». **1866** Выходит сборник «Поэмы и баллады» Суинберна. **1867** Канада получает право на самоопределение.	**1870** Умирает Чарльз Диккенс. **1871** Давид Ливингстон погибает на Ниле. Премьер-министр Глэдстон признает права тред-юнионов.

1875	1880	1885	1890	1895	1900

1876 Один из пейзажей принят в Салон. Первые попытки в скульптуре.
1879 Занимается в Понтуазе живописью с Писсарро и знакомится с Сезанном.

1880 Участвует в V выставке импрессионистов.
1883 Вследствие экономического кризиса теряет работу.
1884 Переезжает в Руан к Писсарро, затем в Копенгаген, работать представителем фирмы.

1885 Возвращается в Париж.
1887 Отправляется на Мартинику. В ноябре возвращается в Париж.
1889 Вместе с Шуффенекером организует выставку импрессионистов и синтетистов.

1891 Отправляется на Таити.
1892 Устраивается в Матайеа.
1893 Возвращается в Париж, живет с Аннах Мартин. Начинает редактировать «Ноа Ноа».
1894 Едет в Бельгию.

1895 Отправляется на Таити с пересадкой в Новой Зеландии. Живет в Пунаауиа, близ Папеэте.
1897 Страдает от болезни глаз, совершает попытку самоубийства.
1899 Подружка Пахура рожает ребенка.

1900 Состояние здоровья не позволяет работать.
1901 Перебирается на остров Хива Оа (Маркизские острова).
1903 Продолжает борьбу с властями. Умирает 8 мая.

1875 Умирает Камилл Коро.
1876 Малларме публикует «Послеполуденный отдых фавна».
1877 Моро выставляет в Салоне «Саломею».

1880 Роден получает вознаграждение за «Врата ада».
1881 Провозглашена свобода печати и собраний.
1883 Выставки импрессионистов в Европе и в Соединенных Штатах. Умирает Мане.

1886 Последняя выставка импрессионистов. Сера представляет «Гранд-Жатт».
1888 Организуется группа художников «наби».
1889 Закончено строительство Эйфелевой башни.

1890 Ван Гог в Оверсюр-Уаз кончает жизнь самоубийством.
1891 Умирает Артюр Рембо.
1893 Руссо пишет полотно «Война».
1894 Президент Республики Карно убит анархистом Казерио.

1895 Начинается дело Дрейфуса.
1898 Умирает Гюстав Моро. Поль Сезанн начинает серию «Купальщиц».
1899 Выставка художников «наби» в Париже.

1901 Умирает Тулуз-Лотрек.
1902 Андре Жид публикует роман «Имморалист».
1903 Открытие Осеннего Салона.
1905 Матисс пишет картину «Радость жить».
1907 Пикассо закончил картину «Авиньонские девушки».

1878 Умирает Виктор Эммануил II. В Неаполе Д. Морелли пишет картину «Искушение святого Антония».
1879 Заканчивается публикация «Словаря итальянского языка» Томмазео и Беллини.

1881 Джованни Верга выпускает «Семья Малаволья». На сцене Ла Скала Милана идет «Бал Эксельсиор».
1882 Умирает Джузеппе Гарибальди. Родились Карло Карра и Умберто Боччони.

1885 Начинается оккупация Абиссинии.
1886 Эдмондо де Амичис публикует роман «Сердце».
1887 Криспи — премьер-министр.
1889 Оккупация Сомали. Кардуччи публикует «Варварские оды».

1891 Турати создает Партию рабочих Италии. Первая выставка у Брера. Джованни Пасколи публикует «Myricae».
1892 Д'Аннуцио выпускает роман «Невинный».
1894 Переворот в Сицилии.

1895 Война в Эфиопии. Салгари публикует «Тайны черных джунглей».
1896 Мирный договор с Аддис-Абэбой. Премьера «Богемы» Пуччини.

1900 Анархист Бреши убивает короля Умберто I. К власти приходит Виктор Эммануил III. Пеллицца да Вольпедо пишет картину «Четвертое сословие».
1903 Пий X становится понтификом.

1875 Основана Социал-демократическая партия Германии.
1876 Рихард Вагнер открывает в Байрейте свой театр «Кольцом Нибелунга».

1882 Создан тройственный союз между Германией, Италией и Австро-Венгрией против Франции.
1883 Вальтер Гропиус родился в Берлине.

1885 Ницше публикует книгу «Так говорил Заратустра».
1888 К власти приходит Вильгельм II.

1892 В Мюнхене создается первый «сецессион» художников против академизма.

1895 Югендстиль начинает распространяться в Германии.
1898 Принят закон о строительстве германского флота.

1905 В Дрездене формируется группа «Мост», первая демонстрация экспрессионизма.
1907 Создается Werkbund — для повышения художественного уровня промышленных изделий.

1875 Великобритания получает большинство акций Компании Суэцкого канала.
1876 Королева Виктория провозглашена императрицей Индии.

1880 Буры объявляют Англии войну.
1882 В Лондоне открывается первая электростанция.

1886 Стивенсон публикует книгу «Странная история доктора Джекиля и мистера Хайда».
1888 Зарождается движение художников и графиков (Arts and Grafts).

1891 Оскар Уайльд выпускает «Портрет Дориана Грэя».
1893 Образована Лейбористская партия.

1896 Начинает выходить «Daily Mail».
1898 Умирает художник Бердслей.
1899 В Южной Африке идет англо-бурская война.

1901 Умирает королева Виктория, ее место на троне занимает сын Эдуард VII. Заключено Соглашение с Австралией.
1902 Англия вступает в союз с Японией против России.

КАФЕ В АРЛЕ (МАДАМ ЖИНУ)

Гоген создал портрет мадам Жину осенью 1888 года в Арле (Прованс), где находился по приглашению Ван Гога. Гоген был вполне удовлетворен фигурой на первом плане, но остался недоволен духом заведения, так называемым «колоритом». Он, в отличие от своего друга, этот колорит невзлюбил. Гоген стилизует образ, подражая хроматизму Ван Гога, однако делает его обобщенным, в так называемой синтетической манере, выработанной еще в Бретани совместно с Бернаром. Речь идет об общении символов, что форм и композиции, что резко контрастировало с витальной колористикой Ван Гога. Гоген использовал образ мадам Жину и для картины «Женщины в саду» (Старые девы в Арле), (см. стр. 21). Трагический финал пребывания Гогена в Провансе окончательно расстроил планы Ван Гога собрать вокруг себя группу художников, объединенных общей любовью к искусству.

Кафе в Арле (Мадам Жину)
Масло, холст, 1888, 72 x 92 см.
Москва, Музей изобразительных
искусств им. А.С. Пушкина.

Первый набросок
Гоген сперва сделал портрет мадам Жину угольным карандашом (1888, Сан-Франциско, Музей изящных искусств), а затем использовал его для картины. Ван Гог, работавший вместе с Гогеном, не вдохновился своей Арлезианкой.

Работа вдвоем
Картина изображает интерьер привокзального кафе, куда вечерами ходили Гоген и Ван Гог. Мадам Жину была женой хозяина кафе. Оба художника сделали портрет мадам Жину, пригласив ее к себе.

Постоянные посетители

Гоген воспроизводит в картине ту же обстановку, что и у Ван Гога. Он размещает за столами несколько фигур: Зуава Милле, почтальона Рулена и несколько проституток, одна из которых сидит с бигудями на голове, другая в зеленой шали.

ВИДЕНИЕ ПОСЛЕ ПРОПОВЕДИ

Это фундаментальное произведение Гогена, созданное в Понт-Авене (Бретань) осенью 1888 года, наиболее полно отражает концепцию синтетизма-символизма. Абсолютная свобода от натуры и от строгого соблюдения объективности отражено в сцене борьбы Иакова с ангелом, которая является высшей точкой картины, как по смыслу, так и по композиции. Гоген изображает библейский сюжет на фоне воображаемого пейзажа, в жгуче-красной тональности, что резче подчеркивает драматизм происходящего. Бретонки в национальных костюмах с традиционными белыми чепцами написаны в стилизованной и чуть ироничной манере, они находятся на первом плане и выполняют роль зрителей.

В одной из статей о символизме, опубликованной «Mercure de France» в 1891 году, критик Альбер Орье дал подробное описание картины и назвал Гогена изобретателем нового, совершенно фантастического стиля.

Японская гравюра

Картина выполнена на дереве с четким плоскостным наложением одного плана на другой, с обобщенным решением формы и цвета, подобно японской графике, очень популярной среди парижских интеллектуалов. Движения борющихся сильно напоминают движения дзюдоистов с репродукций Хокусаи.

Противоестественная борьба

Чрезвычайно довольный своей работой, Гоген писал Ван Гогу: «Для меня в этой картине пейзаж и борьба существуют только в воображении молящихся во время проповеди. Поэтому виден контраст между настоящими людьми и неестественной, непропорциональной борьбой».

Видение после проповеди
*Темпера, деревянная доска, 1888,
73 x 92.
Эдинбург, Национальная галерея Шотландии.*

ПРЕКРАСНАЯ АНЖЕЛА

Мария-Анжелика Канневе, хозяйка кафе, расположенного рядом с пансионом Глоанек, где Гоген неоднократно останавливался, считалась самой красивой женщиной Понт-Авена. Возможно, портрет, был написан до отъезда художника в Ле Пульдю. Пока «прекрасная Анжела» позировала, Гоген отказывался показывать незаконченную работу. Когда женщина увидела свой портрет, она воскликнула: «Какой ужас!». Гоген растерялся и совсем расстроился. В среде художников, врагов Гогена, поползли недоброжелательные слухи. Его постигло еще одно разочарование (после неуспеха выставки в кафе Вольпини и отказа принять «Желтого Христа») — полное непонимание даже со стороны коллег. Художник, в подражание японским композициям, делая поясной портрет, создал сложную композицию, слегка переместив вправо ее центр и заключив изображение в магический круг, чем подчеркнул декоративность картины.

Прекрасная Анжела
Масло, холст, 1889 92 х 73 см.
Париж, Музей д' Орсе.

ТЕЛКА
Ван Гог описывал этот холст брату Тео, в котором Гоген видел своего покупателя: «Это бретонка, которая сидит со сложенными на коленях руками, в черном костюме, украшенном лиловым шнурком и белым воротником... Краски фона красивого лилового цвета с розовыми и красными веточками. Взгляд неопределенный и косоватый. Жещина немного похожа на телку, но в ней есть свежесть, а лицо почти приятно для глаз». Портрет, отвергнутый самой моделью, был приобретен Дега на распродаже в отеле Друо 22 февраля 1891 года всего за 450 франков.

LA BELLE ANGÈLE

БРЕТОНСКИЕ ДЕВОЧКИ НА БЕРЕГУ МОРЯ

Гоген с мольбертом и холстами в руках бродил по побережью Бретани в поисках сюжетов, даже самых незамысловатых, которые могли бы возбудить его фантазию. Эти две фигуры кажутся вырубленными на ярком фоне, переданном желтой, красной, светло-зеленой, темно-зеленой и, наконец, синей краской моря. Обе девочки одеты в грубые платья с полосатыми передниками и покрыты черными чепцами, контрастирующими со светом пейзажа. Одежда девочек отвечает строгим правилам католической церкви, столь влиятельной в Ле Пульдю. Их лица подобны лицам всех бретонок. В одном из писем к Ван Гогу Гоген писал: «У бретонок почти азиатские лица — смуглые, треугольные и суровые». Художник пишет девочек с большим уважением, особо выделяя их неприступность и чувство собственного достоинства, хотя босые ноги, изображенные на первом плане, выдают их бедность.

Бретонские девочки на берегу моря

Масло, холст, 1889, 92 x 73 см. Токио, Национальный музей западного искусства.

НЕСЧАСТНЫЕ ЛИЦА
В конце 1889 года Гоген писал Ван Гогу: «Из того, что я сделал в этом году, отмечу картину с простыми деревенскими девочками, которые равнодушно ходили со своими коровами по берегу моря. Так как мне самому не нравится находиться под светом прожектора, я решил наделить эти несчастные лица присущей мне диковатостью и угрюмостью».

БЕДНЯЖКИ
Испуганный вид и бедная одежда девочек дали Гогену повод назвать холст «Бедняжки», но критик Арсен Александр описал картину следующими словами: «Две бретонские девочки, совсем дети, в слишком просторных платьях выглядят словно вдовы». Картину в тридцатые годы приобрел (через посредничество Воллара) японский принц Мацуката.

СРЕДНЕВЕКОВЫЙ ВИД
Гоген писал Ван Гогу: «В Бретани крестьяне живут, как в средневековье, и кажется, даже не догадываются, что существует Париж, что мы находимся в 1891 году». На самом деле, вид девочек точно иллюстрирует это убеждение художника. Внизу: открытка с видом Ле Пульдю.

АВТОПОРТРЕТ С «ЖЕЛТЫМ ХРИСТОМ»

В этом небольшом по размеру портрете, написанном, вероятно, с помощью зеркала, Гоген показывает себя совершенно объективно, без пафоса и театральности, присущих тому автопортрету, что он в 1888 году послал Ван Гогу. Однако это не делает смысл произведения менее символичным. На заднем плане Гоген поместил две свои самые последние работы: «Желтый Христос» и «Горшок для табака». Гогена волнует тема, многократно повторенная в его последующих автопортретах — идентификация жертвенности художника с жертвенностью Христа. Христос всем изгибом тела и линией руки над головой, будто охраняет художника, сообщая ему святую благодать. Что касается керамической кружки или горшка, она символизирует низменные потребности человека в таких вещах, как табак и алкоголь; это примитивная суть человека. Если фигура Христа воплощает в себе жертвенность и служение, то керамика означает уединение, уход художника в себя. Символический язык автопортрета, обобщающий вечную борьбу человека между ангелом и дьяволом, наводит на мысль

(полоса света, пересекающая лоб), что Гоген нашел главное — превосходство духа над чувственным, то есть животным началом. В композиции портрета очевидно влияние Сезанна, особенно в гармоничном распределении светотени. Подобно Сезанну, Гоген искал собственный стиль. Он переживал различные невзгоды, вел сомнительную жизнь, но не выносил беспорядка в живописи.

Автопортрет с «Желтым Христом»
Масло, холст, 1889-1890, 38 x 46 см.

КРУЖКА В ФОРМЕ ГОЛОВЫ
Гоген начал изготовлять изделия из глины в 1886 году под руководством керамиста Эрнеста Шапле. Он очень увлекся этим видом искусства и создал множество оригинальных терракотовых ваз в форме человеческой головы. По всей видимости, кружка (1887, керамика, Копенгаген, Музей прикладного искусства) является автопортретом.

LA ORANA MARIA (ПОКЛОНЕНИЕ МАРИИ)

Странно, что Гоген во время своего первого пребывания на Таити выбрал для сюжета христианскую тему. В письме Серюзье (март 1892 года) он признавался, что хотел бы изучить древние полинезийские религии и примитивные обряды. Некоторые критики считали, что картина написана после серьезной болезни. Фигуры Иисуса и Марии (с таитянскими чертами и в одежде из цветастого лоскута вокруг бедер), изображенные в красочном пейзаже, ассоциируются с райским садом: кокосовые пальмы, хлебные деревья, цветущий розовым кустарник, поросшие белыми цветами долины и натюрморт с тропическими фруктами, возложенными на самодельный алтарь. Гоген пытался передать сочетание западной религиозной символики с культурой и традициями маори. Не удовлетворившись силой колорита на холсте, он написал ангела цвета мальвы с бело-сине-лиловыми крыльями. Настоящий гимн разнообразию и богатству красок.

La Orana Maria (Поклонение Марии)
Масло, холст, 1892, 113,7 x 87,7 см. Нью-Йорк, Художественный музей Метрополитен.

ЯВАНСКИЕ ТЕМЫ
Глядя на эту картину, можно предположить, что Гоген использовал для изображения фигур различные источники: японскую графику и яванские барельефы; в частности, барельеф храма Боробудур на Яве, фотография которого была у художника. Позы двух молящихся девушек и стилизованные деревья на втором плане, похоже, заимствованы именно оттуда.

ДВЕ ТАИТЯНКИ

Обе женщины, конечно же, являлись для Гогена идеалом красоты. Фигуры обладают классической гибкостью, наивностью и грацией, которые должны были очаровать парижских буржуа, завсегдатаев Салона, привыкших к обнаженной натуре.

Женщины не идентифицированы; очень может быть, что центральная фигура — это Пахура, одна из таитянских сожительниц художника. Фигура справа с цветами в руке чуть повернула голову, словно прислушиваясь к тому, что говорят зрители. Цветок в ухе, напоминающий серьгу, подчеркивает отсутствие украшений у женщины в центре, держащей блюдо с цветами манго или мякотью папайи. Похоже, Гоген специально хотел написать нечто неопределенное, но, безусловно, имеющее символическую ценность. Можно предположить, что женщина приносит в дар ощущение цвета, ощущение самого Гогена, испытанного им, когда он ступил на землю Таити.

Фрукты и цветы
Нормы жизни полинезийцев запрещали мужчинам и женщинам есть вместе. Зная этот обычай, Гоген лишь приоткрывал дверь в женскую половину, куда мужчинам не было доступа. Правда, во многих таитянских картинах Гогена женщины предлагают фрукты или цветы, глядя на зрителя.
Справа: «Куда мы идем?» (1893, Санкт-Петербург, Эрмитаж).

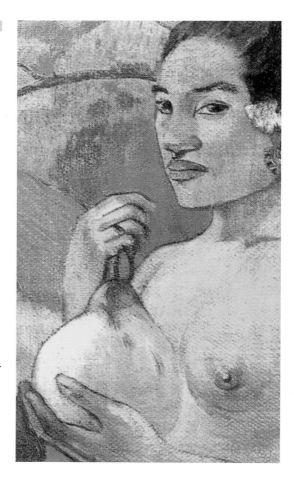

Две таитянки
Масло, холст, 1899, 94 x 72,2 см.
Нью-Йорк, Художественный музей Метрополитен.

СТРАШНЫЕ СКАЗКИ

Это одно из последних полотен, написанных Гогеном на Маркизских островах. Картина, задуманная, чтобы передать тему суеверия и набожности, смешение западных и восточных мифов, относится к самым загадочным картинам художника. Название ее сразу вводит в мир, населенный таинственными и темными существами. Мейер де Хаан, голландский друг Гогена, уже однажды изображенный им в «Нирване», снова фигурирует здесь. Художник поместил его сгорбленную фигуру позади двух женщин; на нем фиолетовый костюм шута и сдвинутый на французский манер берет; его взгляд будто гипнотизирует зрителя. Он являет собой существо, среднее между фавном и дьяволом. Одна из двух женщин сидит со скрещенными ногами в позе Будды. Женщина с рыжими волосами воплощает в себе что-то совсем странное. Среди туземцев ходили слухи, что ее муж был колдуном по имени Хаапуани (Гоген сделал два его портрета). По словам этого колдуна, рыжий цвет волос означал способность общаться с потусторонним миром. В картине присутствует дух волшебства. Похоже, жизненная сила природы преоблада-

ет над разумом человека. Может быть, именно эту мысль Гоген и хотел передать в композиции: существуют какие-то неизведанные феномены, которые неподвластны разуму. Белые кольца разбросаны по всему холсту, а венок из орхидей украшает рыжую шевелюру женщины в центре. Это доказательство того, что Гоген усвоил теорию Делакруа, согласно которой путем вибрации цвета и повторения тональных аккордов можно передать состояние души.

Страшные сказки
Масло, холст, 1902, 131,5 x 90,5 см. Эссен, Музей Фолькванг.

МИСТИЧЕСКИЙ ДРУГ
Лицу Мейера де Хаана приданы элементы мистики. Присутствие на картине этого загадочного персонажа, сидящего позади двух женщин, до сих пор остается тайной. Но художник настойчиво воспроизводит его также в «Нирване» (1889, Хартфорд, Атенум).

Справки о фотографиях

Архив Giunti: Что касается прав репродукции, издатель оставляет за собой право полностью свободно регулировать возможные расходы за эти изображения, возможный источник которых мог бы быть найден. Что касается авторских ремарок, если они иначе указаны, работа составляет часть частной коллекции.

Руководители проекта: А. Астахов, К. Чеченев
Ответственный редактор: Н. Надольская
Редактор: Е. Григорьева
Перевод: А. Золотова
Верстка: С. Буркова
Корректор: А. Новгородова

ЛР № 064517
ISBN 5-7793-0185-9
УДК 087.5:75
ББК 85.14
Г65

Отпечатано в Италии
Тираж 5000

Издательство «Белый город»,
105118, Москва, шоссе Энтузиастов, д. 42, тел. (095) 176-1257
Оптовые поставки — фирма «Паламед»,
тел. (095) 176-1693, (812) 567-5335
Розничная продажа:
Торговы дом «Библио-Глобус»,
101861, Москва, ул. Мясницкая, 6
По вопросам приобретения книги по издательским ценам
обращайтесь по адресу: 105118, Москва, шоссе Энтузиастов, д. 42,
тел. (095) 176-0737